Regarde, je

Cahier de lecture

Éric Battut

Professeur des écoles

Illustré par

Olivia Cosneau

www.**orthographe-recommandee**.info

MIXTE
Papier issu de
sources responsables
FSC® C022030

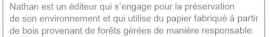

Présentation

Pour apprendre à lire, il faut autant pratiquer l'activité de lecture que d'écriture et **connaitre parfaitement** le **code** qui permet de passer des sons qui s'entendent aux signes qui les transcrivent.

Pour lire, votre enfant doit **décoder**, c'est-à-dire transcrire les signes graphiques qu'il voit (des graphèmes) en sons qui se prononcent (des phonèmes).

Mais il doit aussi savoir réaliser le chemin inverse pour **encoder**, c'est-à-dire transcrire les sons qu'il entend (les phonèmes) en signes graphiques qui s'écrivent (les graphèmes).

Chaque page de ce cahier vise à parfaire cette double compétence par des **activités méthodiques** et **variées** afin que votre enfant ait **plaisir à apprendre**.

La **lettre** est présentée dans ses trois graphies : scripte, capitale, cursive.

La **lettre dessin** aide à mémoriser la forme de la lettre.

Les **photos** renvoient à l'univers quotidien de l'enfant.

Savoir identifier le « bruit » du son et le situer au sein d'un mot.

Mémoriser les lettres qui transcrivent les sons, en les repérant dans des mots et en les distinguant d'autres lettres. L'enfant apprend aussi à distinguer écriture capitale, scripte et cursive.

S'entrainer à la lecture de mots, de phrases, de textes pour acquérir la fluidité de lecture.

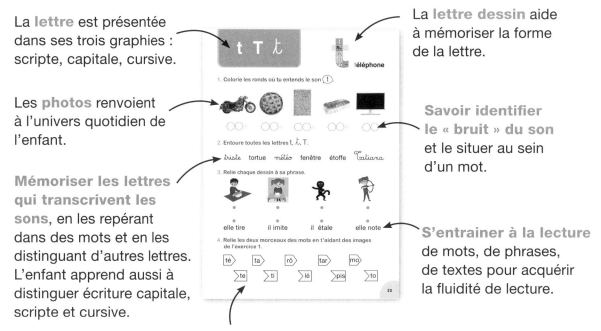

Travailler la combinatoire en créant des syllabes ou en associant des syllabes dans des mots.

Ce cahier peut être utilisé en complément de la méthode de lecture *Regarde, je lis !*

© Nathan, 2016 – ISBN : 978-2-09-189499-7

Sommaire

a A α

arc-en-ciel

1. Entoure les dessins quand tu entends le son (a).

2. Colorie toutes les lettres a, α, a, A.

α   r   a   H   i   A   c   α

a   s   e   α   a   a   n   A

3. Entoure les lettres a, α, A.

Emma   Sacha   Clara   Mathis   Amélia

le marin   le parasol   l'étage   papa

4. Complète les mots en écrivant la lettre α.

c.......mer.......   l....v....bo   chev....l

ile

1. Entoure les dessins quand tu entends le son i .

2. Colorie toutes les lettres i, i, l.

s l i i f l v i

a i T p i i l L

3. Entoure les lettres i, i, l.

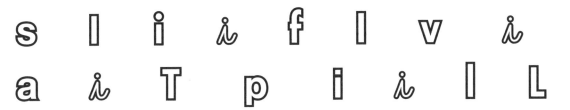

Élise   Mathis   Mila   Victoire   Henri

la rivière   la piscine   l'image   une fille

4. Complète les mots en écrivant la lettre i.

l……vre   sour……s   k……w……

5

orange

1. Entoure les dessins quand tu entends le son (O).

2. Barre les cases qui ne contiennent pas la lettre o, o, O.

a	P	v	o	O	s	o	a	C	o	O
c	o	c	o	c	a	O	o	o	p	d

3. Relie les mots identiques.

oreille •   • otarie

olive •   • oreille

otarie •   • olive

4. Complète les mots en écrivant la lettre o.

d......min......

s......leil

p......mme

usine

1. Entoure les dessins quand tu entends le son (u).

2. Relie tous les ronds qui contiennent la lettre U, u, U.

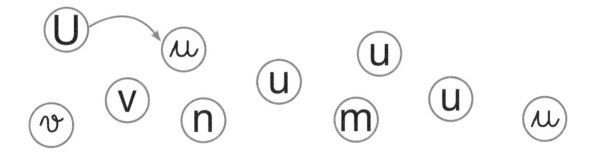

3. Entoure dans les mots les lettres U, u, U.

pull   fumée   Ursule

mur   tortue   peluche

e E *e*

chenille

1. Colorie le rond où tu entends le son e .

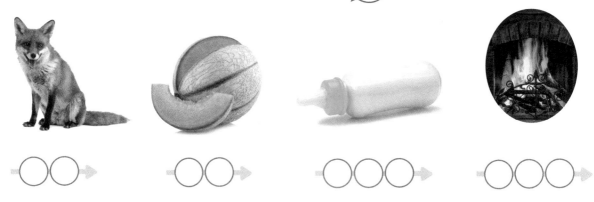

2. Écris le nombre de e, E que tu vois dans chaque ensemble.

a o	e e	E v	s e
e p	e i o	f o u	E e r
	e o	e	
....	....	....	....

3. Relie les mots identiques.

VALISE •

VACHE •

• vache •

• biche •

• bille •

• valise •

• BILLE

• BICHE

4. Complète les mots en écrivant la lettre qui manque : a, i, u.

la t.......ble

le t.......gre

les b.......lles

é / è

fusée

flèche

1. Colorie en rouge les dessins quant tu entends le son é et en vert les dessins quand tu entends le son è.

2. Relie en vert les ronds qui contiennent la lettre è et en rouge ceux qui contiennent la lettre é.

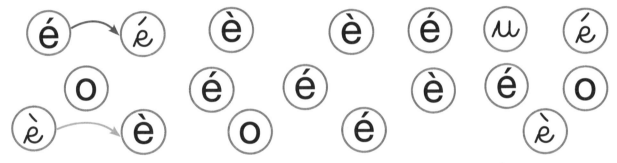

3. Entoure en rouge les mots qui contiennent la lettre é et en vert les mots qui contiennent la lettre è.

rivière   béret   métier   frère   lèvres

été   thé   très   mère

4. Ajoute le bon accent sur les lettres bleues.

bebe   trefle   cuillere

9

J'apprends les mots le, la, les, un, une, des

1. Regarde l'exemple puis relie le mot à son image.

2. Écris *le, la* ou *les* devant chaque image.

....

3. Colorie les cases en suivant les modèles.

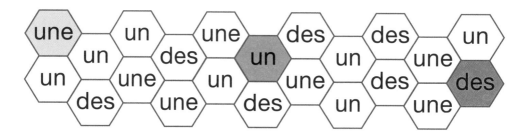

4. Écris *un, une* ou *des*.

Je comprends une histoire

1. Numérote les images dans l'ordre de l'histoire.

N°.......   N°.......   N°.......

N°.......   N°.......   N°.......

2. Dessine une suite possible de l'histoire.

s S

serpent

1. Colorie les dessins où tu entends le son ⬭S .

2. Colorie en noir les cases qui ne contiennent pas la lettre S, s, S.

3. Relie la syllabe à l'image qui convient.

| si | sa | su | so |

4. Écris la syllabe qui manque : *sé, sa.*

 un ....blier

 un ....choir

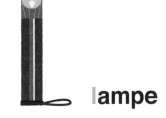
lampe

1. Barre les deux images qui ne contiennent pas de ⬭l⬭.

 |

2. Relie les mots identiques.

vélo •   • VÉLO •   • *loto*

polo •   • POLO •   • *vélo*

loto •   • LOTO •   • *polo*

3. Comme dans l'exemple, trace les flèches de la bonne couleur, puis écris la syllabe formée.

la   o : lo   lu

l   a : ....

                  i : ....

li   u : ....   lo

4. Écris la syllabe qui manque : *lu, la.*

   *un .... pin*

   *un .... tin*

13

r R 𝓇

robinet

1. Entoure l'image quand tu entends le son (r).

2. Colorie toutes les lettres r, 𝓇, R.

3. Entoure les syllabes identiques d'une même couleur.

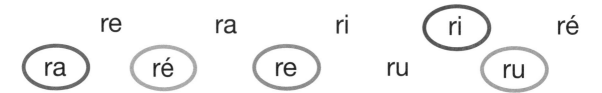

re   ra   ri   ri   ré

ra   ré   re   ru   ru

4. Écris les mots au bon endroit : ré, rat, riz, or, rue.

....

m M m

montagne

1. Colorie les ronds où tu entends le son (m).

2. Entoure toutes les lettres m, m, M.

amusant   pomme   amour   Mamie

matin   maison   amusant

3. Lis et écris ces syllabes en lettres cursives, comme sur le modèle.

mo ⟶ mo   mu ⟶ ....

ma ⟶ ....   me ⟶ ....

mi ⟶ ....   mé ⟶ ....

4. Relie chaque syllabe au mot qui la contient.

mé •   • musique •   • mu

ma •   • animal •   • mé

mu •   • mélodie •   • ma

v V _v_

vache

1. Barre les deux images qui ne contiennent pas le son .

2. Relie les mots identiques.

vase	•	• VISAGE	•	• _visage_
visage	•	• VOLCAN	•	• _vase_
volcan	•	• VASE	•	• _volcan_

3. Comme dans l'exemple, trace les flèches de la bonne couleur, puis écris la syllabe formée.

va

vé

v

i : vi
é : ....
a : ....
o : ....

vo

vi

4. Écris la syllabe qui manque : _va, vi._

 _un_ .... _se_

 _un_ .... _llage_

jambe

1. Colorie les ronds où tu entends le son (j).

○○   ○○   ○○   ○○○

2. Entoure toutes les lettres j, j, J.

bijou   jamais   jumelle   jonquille

Jules   naja   jeux   joue

3. Entoure les syllabes identiques d'une même couleur.

ju   je   jo   (je)   ja

(jo)   (ja)   (ji)   ji   (ju)

4. Relie chaque syllabe au mot qui la contient.

ju   •   • jeton •   • ja

ja   •   • pyjama •   • je

je   •   • jupe •   • ju

f F f

 fantôme

1. Entoure l'image quand tu entends le son (f).

2. Colorie toutes les lettres f, f, F.

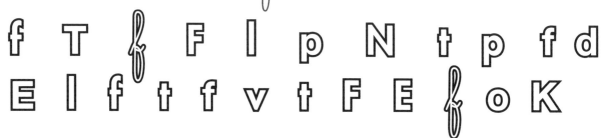

3. Entoure les syllabes identiques d'une même couleur.

fi fé fu fé fo fa fé

fe fe fi fu fo fé fa

4. Écris la syllabe qui manque : fa, fo, fu.

de la ....rine de la ....mée une ....rêt

J'apprends les mots
je, il, elle, suis, est

1. Relie le mot à son groupe de lettres.

je	il	elle	est	suis

2. Écris _je, il_ ou _elle_ au bon endroit.

....

3. Relie les phrases identiques.

il est venu •   • _il est fort_

elle est polie •   • _je suis Noé_

je suis Noé •   • _elle est polie_

il est fort •   • _elle est arrivée_

elle est arrivée •   • _il est venu_

3. Recopie _je suis, il est, elle est_ en écriture cursive.

il est velu   je suis joli   elle est lisse

....

Je repère les accents

1. Relie le dessin à son accent.

forêt   Noël   fusée   flèche

2. Ajoute l'accent qui manque (´ ou `).

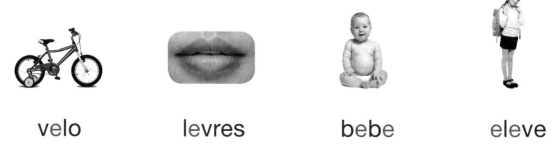

velo   levres   bebe   eleve

3. Entoure la lettre que tu entends dans ces mots.

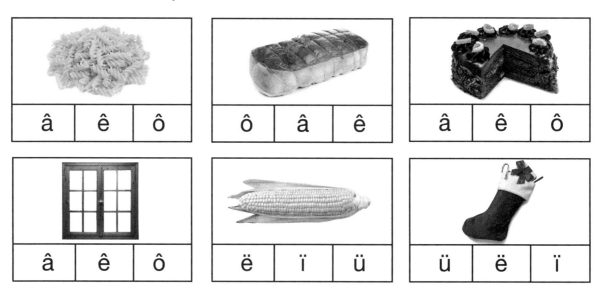

â	ê	ô

ô	â	ê

â	ê	ô

â	ê	ô

ë	ï	ü

ü	ë	ï

Je comprends une histoire

1. Numérote les images dans l'ordre de l'histoire.

2. Entoure l'image des parents à la fin de l'histoire.

n N 𝑛

niche

1. Écris 𝑛 sous les images quand tu entends le son (n).

𝑛

2. Colorie toutes les lettres n, 𝑛, N.

u m 𝑛 m U 𝑛 n m
n m n m n m 𝑛
m N 𝑛 m M 𝑛 n m

3. Relie les syllabes pour fabriquer les mots, puis relie à l'image.

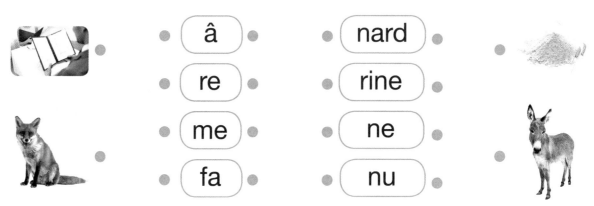

â   nard

re   rine

me   ne

fa   nu

4. Lis ces mots, puis entoure ceux qui contiennent le son (n).

la savane   l'avenir   ma mamie   la larme

l'uniforme   la sonnerie

t T _t_

téléphone

1. Colorie les ronds où tu entends le son (t).

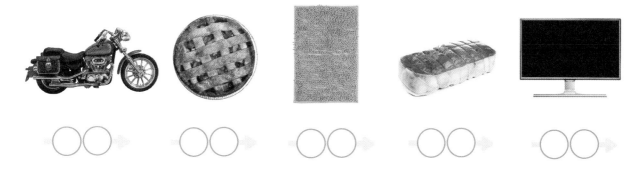

⬤⬤ ➤ ⬤⬤ ➤ ⬤⬤ ➤ ⬤⬤ ➤ ⬤⬤ ➤

2. Entoure toutes les lettres t, _t_, T.

triste tortue météo fenêtre étoffe Tatiana

3. Relie chaque dessin à sa phrase.

⬤ ⬤ ⬤ ⬤

⬤ ⬤ ⬤ ⬤

elle tire il imite il étale elle note

4. Relie les deux morceaux des mots en t'aidant des images de l'exercice 1.

| té⟩ | ta⟩ | rô⟩ | tar⟩ | mo⟩ |

| ⟩te | ⟩ti | ⟩lé | ⟩pis | ⟩to |

pot

1. Colorie les dessins quand tu entends le son ⓟ .

2. Relie les mots identiques.

panne	PAROLE	𝑝𝑎𝑛𝑛𝑒
parasol	PANNE	𝑝𝑎𝑟𝑎𝑠𝑜𝑙
parapluie	PARAPLUIE	𝑝𝑎𝑟𝑜𝑙𝑒
parole	PARASOL	𝑝𝑎𝑟𝑎𝑝𝑙𝑢𝑖𝑒

3. Écris la syllabe qui manque en t'appuyant sur le nombre de lettres.

une tuli__   un ___no   de la __rée

24

b B  **b**ulle

1. Barre les images quand tu n'entends pas le son ⓑ.

2. Relie les deux morceaux des mots, puis colorie les dessins.

	ro			a		
	bo			bot		
	ba			be		
	ro			nane		

3. Écris les mots en regardant bien le nombre de lettres.

un _ _ _   un _ _ _   un _ _ _   un _ _ _ _

d D d

 **d**ouche

1. Colorie en rouge la syllabe qui contient le son (d).

2. Relie les mots identiques.

début •	• PÉDALE •	• pédale
pardonné •	• DÉBUT •	• pardonné
distribué •	• DISTRIBUÉ •	• début
pédale •	• PARDONNÉ •	• distribué

3. Relie 4 lettres pour trouver 2 mots en t'aidant des images.

   d   a   u   e

 j   m   d   o

26

coquillage

1. Colorie les ronds où tu entends le son $\left(\text{C}\right)$.

○○ ▸ ○○ ▸ ○○○ ▸ ○○○ ▸ ○○

2. Entoure avec la même couleur les 3 mots identiques.

carrosse avocat public abricot CARROSSE public

abricot avocat ABRICOT AVOCAT PUBLIC carrosse

3. Relie les 2 morceaux de phrase qui vont ensemble.

Il a cassé ●   ● le tube de colle.

Elle a vissé ●   ● la tasse.

Il a décollé ●   ● de l'aéroport.

4. Écris les lettres qui manquent pour former les mots.

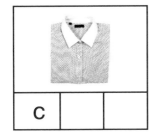 | c | | |

 | | | c |

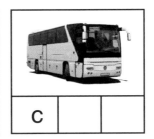 | c | | |

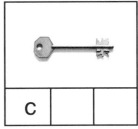 | c | |

ch *ch*

chat

1. Écris *ch* sous les images quand tu entends le son (ch).

ch

2. Colorie les cases qui contiennent les lettres ch, *ch*, CH.

CH	n	*ch*	*m*	CH	k	*l*	ch	H	*ch*	ch
c	ph	c	ch	c	*h*	h	ch	*m*	h	*ch*

3. Relie les syllabes pour fabriquer les mots, puis relie à l'image.

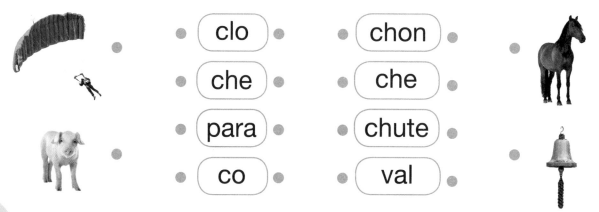

clo · · chon

che · · che

para · · chute

co · · val

g G g

 **g**alette

1. Barre le son que tu n'entends pas au début du mot.

 c g   c g   c g   c g

2. Colorie toutes les lettres g, g, G.

g G O q 9 n P g p g G D
9 g g b q d p f Q F p g g

3. Entoure la bonne syllabe qui appartient à ces mots.

   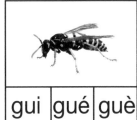

| gu | gâ | go | | go | ga | gu | | gui | gué | guè | | gui | gué | guè |

4. Dessine ce que tu lis.

une gare   un légume   une bague   un chat

J'apprends les mots
et, dans, mais, avec, c'est

1. Mets les lettres dans l'ordre et écris les mots.

a c   n   a   t   a m   s e

v e   d s   e   s i   t c '

....

2. Écris ces mots en écriture cursive.

et ....   dans ....   mais ....

ça ....   avec ....

3. Relie chaque phrase à son image.

Noé est avec
Mila à l'école.

Noé est dans la rue.

Mila est à l'école
mais pas Noé.

Mila et sa mamie
adorent le carnaval.

C'est la mamie de Mila.

Je comprends un texte

1. Lis cette histoire en t'aidant des illustrations.

Un pirate est sur un vélo.
Mila est étonnée.

Une vache porte un tutu.
Noé est étonné.

Un cheval est sur un piano.
Mila dit : « C'est drôle ! »

Une licorne est sur des échasses.
Noé dit : « C'est rigolo ! »

Un robot dort sur le dos d'une tortue.
Une otarie tape sur des cloches multicolores.

Un ananas arrive : il a une caméra.
Une banane arrive : elle a un micro.

Mila et Noé crient très fort : « Vive le carnaval ! »

2. Où sont Mila et Noé ?

....

ou ου

loup

1. Colorie les ronds où tu entends le son (OU).

○○   ○○   ○○   ○○○   ○○

2. Écris la syllabe qui manque : *bou, pou, tou, fou, cou.*

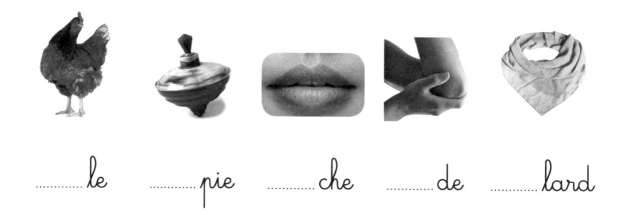

.... *le*   .... *pie*   .... *che*   .... *de*   .... *lard*

3. Relie ces animaux du plus petit au plus grand.

POU   FOURMI   CARIBOU

MOUCHE   COUCOU

oi *oi*

roi

1. Entoure les images quand tu entends le son (oi).

2. Relie les deux syllabes pour former les mots.

noi •   • te
boi •
soi •

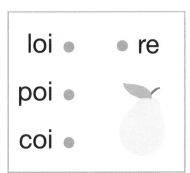

loi •   • re
poi •
coi •

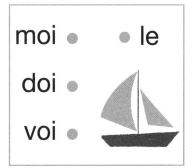

moi •   • le
doi •
voi •

3. Choisis et écris la syllabe au bon endroit. Puis dessine ce que
    tu lis.

mi   ti   cou   de

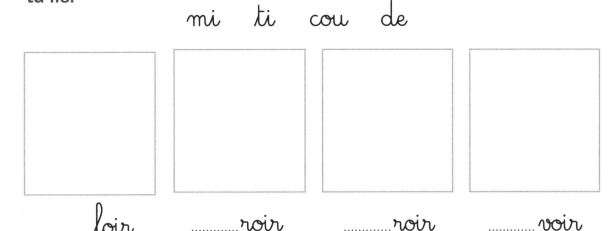

.... *loir*   .... *roir*   .... *roir*   .... *voir*

on om

pont

1. Colorie les dessins où tu entends le son (on) .

2. Écris ces mots en écriture cursive dans la bonne colonne.

la ronde - la souris - la route - la Loire
le poisson - le bouton - les devoirs

ou	oi	on
....	....	....
....	....	....
....	....	....

3. Relie les 2 morceaux qui correspondent.

de la crème •   • de vélo
de la confiture •   • de prune
de la salade •   • d'arbre
un guidon •   • de marron
un tronc •   • de concombre

in im un

ours brun
lapin

1. Colorie le son que tu entends : (in) ou (on).

(in) (on) (in) (on) (in) (on) (in) (on) (in) (on)

2. Entoure les sons (in) ou (im).

chagrin   injuste   sous-marin   huile   simple   invité

poussin   du venin   impossible   nuit   pépin

3. Complète les mots contenant le son (in).

lu_ _ _   sa_ _ _   ma_ _ _

mou_ _ _   _ _ _don   la_ _ _

35

an en
am em

maman

den**t**

1. Entoure les dessins quand tu entends le son (an), (en).

2. Relie chaque phrase au bon son.

Il a senti.		an		Il a dansé.
Il a chanté.		am		Il a enjambé.
Il est entré.		en		Il m'embrasse.
Il l'a emprunté.		em		Il s'envole.

3. Sépare les phrases en mots avec des barres. Puis écris les phrases.

LalampedelachambredeMilaestcassée.

....

Noéentendlapenduledusalon.

....

ai   ei

maison

reine

1. Relie les mots à leur son.

souris	marron	invité	ivoire	semaine	peine
chou	ronde	vin	soie	lait	seine

ou   on   in   oi   ai   ei

2. Place les mots dans la grille de mots croisés.

1. BALAI
2. AILE
3. REINE
4. BALEINE
5. FONTAINE
6. SEMAINE

(grille de mots croisés)

3. Entoure  ai ou ei puis réécris les phrases.

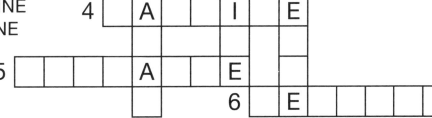

La reine a des ailes dans le dos.

....

La baleine boit à la fontaine.

....

er ez

clocher

nez

1. Écris les mots dans la bonne colonne.

allez – épée – rocher – chez – boucher – élève

é	er	ez

2. Colorie les sons qui sonnent é : é, er, ez.

e é E É er EZ ez e er er

é ER é ez E É er e é ER

3. Écris chaque verbe à côté de son dessin.

parler - jouer - écouter - chanter - danser - marcher

....

....

....

....

....

....

et et

bonnet

1. Entoure tous les dessins où tu entends le son (è) : ê, ë, ai, ei, et.

| père Noël | fenêtre | jouet | fée |

| lèvres | cheval | éclair | baleine |

2. Écris la bonne syllabe pour compléter les mots.

car............   fi............   du............   vo............

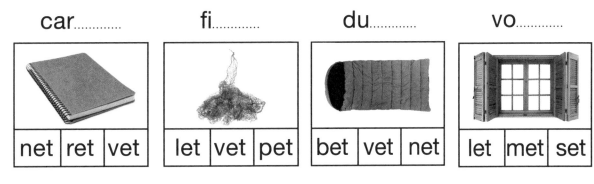

| net | ret | vet | | let | vet | pet | | bet | vet | net | | let | met | set |

3. Relie les syllabes pour faire des mots en t'aidant des images.

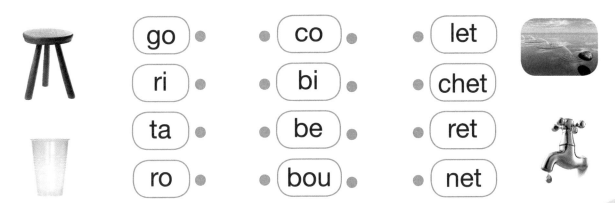

go • • co • • let
ri • • bi • • chet
ta • • be • • ret
ro • • bou • • net

au   eau

fauteuil

gâteau

1. Écris les mots dans la bonne colonne. Toutes les cases doivent être remplies.

taureau – manteau – astronaute – roman

	o		an
o	au	eau	an

2. Mets les syllabes dans l'ordre et écris le mot.

tru che au	to au car	pi teau cha	ti chaut ar

....

3. Écris la phrase en plaçant les mots dans l'ordre.

fauve 〉 dort 〉 de l'eau. 〉 au bord 〉 Un grand 〉

....

....

ui ui

nuit

1. Entoure tous les sons (ui).

juillet   puissant   ruines   cuir   depuis   buisson

aujourd'hui   puits   s'enfuir   cuisse   puisque

2. Entoure les bonnes syllabes pour former les mots.

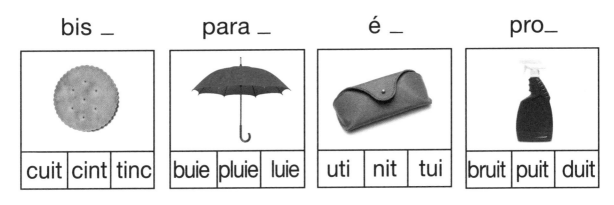

bis _	para _	é _	pro_
cuit	cint	tinc	buie	pluie	luie	uti	nit	tui	bruit	puit	duit

3. Relie le mot à son image.

la nuit

le ruisseau

les tuiles

le bruit

huit

la pluie

41

eu œu

cheveu

œu**f**

1. **Relie les mots à leur son.**

 de « cheveu »

 de « œuf »

vœu   immeuble   beurre   sœur   pleurer   bœuf

2. **Écris ce qui manque :** *eur, eul, euf, euv.*

Il n'a pas d'ami. Il est toujours tout s_ _ _ .

Le père de Mila a acheté une voiture. Elle est toute n_ _ _ e

Huit plus un est égal à n_ _ _ .

Le bleu est ma coul_ _ _ préférée.

3. **Entoure les mots de la liste dans la grille de mots mêlés.**

PÊCHEUR
DANSEUR
CHANTEUR
CHASSEUR
VENDEUR
AVIATEUR

Z	E	R	T	Y	U	I	O	P	A
V	E	N	D	E	U	R	G	H	V
S	C	D	A	H	J	K	L	M	I
C	H	A	N	T	E	U	R	B	A
W	A	X	S	C	V	B	N	R	T
R	S	P	E	C	H	E	U	R	E
F	S	V	U	A	Z	D	F	G	U
V	E	B	R	M	H	K	J	N	R
B	U	M	Q	S	D	F	G	H	G
J	R	P	O	I	U	Y	T	R	E

J'apprends les mots qui organisent un texte

1. Entoure les mots dans la grille de mots mêlés.

CAR
ENCORE
DONC
COMME
MAIS
PLUS
QUAND
MÊME
AUSSI

A	Z	E	M	R	T	P
Q	S	D	Ê	F	G	L
H	C	O	M	M	E	U
W	Q	X	E	A	C	S
A	U	S	S	I	B	N
O	A	P	M	S	J	C
E	N	C	O	R	E	A
F	D	O	N	C	V	R

2. Colorie la case du mot qui convient.

Souvent, un enfant porte le **même / aussi** nom que son papa.

Noé est un enfant. Mila **quand / aussi**.

Noé adore le chocolat. Il en veut **encore / comme**.

Mais sa maman pense qu'il a mangé **donc / assez**.

Je distingue
p, b, d, q, m, n, u

1. Relie chaque lettre au dessin qui lui ressemble.

2. Écris la fin des mots en t'aidant des images.

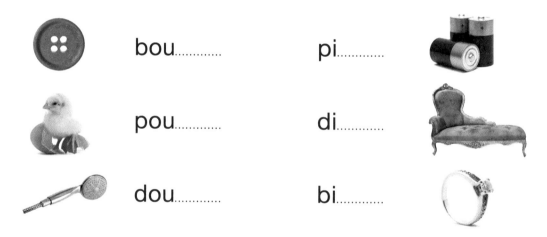

bou...........   pi...........

pou...........   di...........

dou...........   bi...........

3. Entoure le bon mot.

doudou	boule	pause
pompon	poule	panse
bonbon	loupe	danse
poupon	bond	banc

44

Je comprends un texte

1. Lis cette histoire.

Quand elle était enfant, Valérie, la mère de Lola, voulait devenir pianiste.

Elle est devenue dentiste.

Quand il était petit, Paul, le père de Sandrine, voulait être batteur.

Il est devenu coiffeur.

Antoine, l'oncle de Matéo, aurait aimé devenir violoniste.

Il est maitre d'école.

Manon, la grand-mère de Sacha a tenté de devenir flutiste.

Elle est infirmière.

Simon, le grand-père de Ninon, a tout fait pour être contrebassiste.

Il est maintenant maçon.

Mais chaque dimanche, tout le monde se retrouve chez Valérie, autour du piano. Paul a son tambourin, Antoine a son violon, Manon a sa flute et Simon a sa contrebasse.

Cela fait un joli orchestre !

Lola, Sandrine, Matéo, Sacha, Ninon ainsi que leurs amis Noé et Mila applaudissent les artistes : quelle belle musique !

2. Et toi, quel métier aimerais-tu faire plus tard ?

....

....

ce ci ç

cerise

gar**ç**on

1. Entoure la lettre qui suit la lettre ᴄ.

policier · cirque · glace · cible · dentifrice

Quelles lettres as-tu entourées ? .... **et** ....

2. Relie les mots qui contiennent la même syllabe *ci, cé, cen*.

(cinéma) (centime) (céleri) (centre)

(cité) (cédrat) (cigale) (céréale) (cendre)

3. Dessine ce qui manque aux dessins.

Une limace a trouvé sa place
sur la salade.

Dans ce sac, il y a des pièces.

Voici le drapeau français.

ge gi

genou

1. Relie chaque groupe de syllabes à son image, puis écris les mots.

me gen
dar

....

ger lan
bou

....

nè ma
ge

....

2. Ajoute la syllabe qui manque.

un an＿＿   une bou＿＿e   une ca＿＿   de la ma＿＿e

3. Écris les mots au bon endroit.

gilet – village – rouge – neige – gifle

Ce matin, il fait froid. J'ai mis mon joli bonnet........................

Et un gros .... de laine.

Le vent me .... les joues.

Le .... est tout blanc

car il y a de la .... partout.

gn *gn*

peigne

1. Entoure les dessins quand tu entends le son (gn).

2. Relie les 2 parties des mots, puis écris-les.

l'a •   • gnet   ....

la bai •   • gnal   ....

le poi •   • gneau   ....

ga •   • gnoire   ....

le si •   • gner   ....

3. Numérote les phrases dans l'ordre de l'histoire.

☐ Et Maman est devenue grognon.

☐ Alors, je me suis cogné contre le robinet…

☐ Depuis, j'ai une bosse, comme un champignon, sur le front !

☐ Mais je ne l'ai pas écoutée, et j'ai plongé…

☐ Maman m'avait dit : « Ne plonge jamais dans la baignoire ! »

h / ph

 **h**utte

 **ph**oque

1. Colorie la lettre h, h, H, en rouge, le son (ph) en vert et le son (ch) en jaune.

ch   h   PH   CH   ph   H   ph   h

2. Relie les 2 mots dont la première syllabe fait le même bruit.

(hibou)   (chaudron)   (forêt)

(chocolat)   (photographe)   (image)

3. Écris les syllabes qui manquent à ces mots.

hi - ha - phin - pha

al......bet   ......bou   ......ricot   dau......

4. Réécris les mots en remettant les lettres dans le bon ordre.

a p r e h   h h c a e   a c a h m

....

49

k / qu

kangourou

queue

1. Pour chaque mot, entoure ce qui sonne (k). Puis relie chaque mot au bon son.

une chorale   le coucou   la quille

 c   qu   ch   k

l'okapi   le quai   le cadeau

2. Place ces mots dans la grille de mots croisés.

1. ANORAK
2. MASQUE
3. KILO
4. BOUQUET
5. FANTASTIQUE
6. SKI
7. KEPI

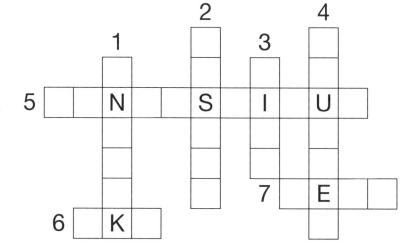

3. Écris la solution de chaque devinette.

kimono - coq - cinq - kaki

C'est une couleur entre le vert et le marron : _____

C'est le costume du karatéka : _____

Il chante dès le matin : Cocorico ! : _____

Trois plus deux : _____

w / x

wagon

box**e**

1. Relie chaque mot au son qui lui correspond.

 gz   ks   z   s   x muet

(noix) (dix) (xylophone) (saxo) (boxeur) (deuxième)

2. Relie les mots identiques.

| LUXE | *fixer* | TAXE | Max | *luxe* |

| *taxe* | luxe | taxe | FIXER |

| MAX | fixer | *Max* |

3. Réponds aux devinettes avec des mots qui se terminent par un *x* muet.

oiseaux - choux - ciseaux - voix

Tu les utilises pour découper : *des* ....

On dit que les garçons naissent dedans : *les* ....

Le chanteur l'utilise : *la* ....

Ils sont couverts de plumes : *les* ....

51

yack

cygne

1. Relie chaque mot au bon son.

y (cygne)   y (yack)

(un lys)   (un crayon)   (Papy)   (un yoyo)

2. Réponds aux devinettes avec des mots qui contiennent un *y*.

curry - voyage - lycée - rayures

Le tigre et le zèbres en ont : *des* ....

C'est un plat pimenté : *du* ....

C'est une école pour les grands élèves : *le* ....

Lorsqu'on part en vacances, on en fait un : ....

3. Entoure le bon groupe de lettres pour former les mots.

you •	• ourt
ya •	
yo •	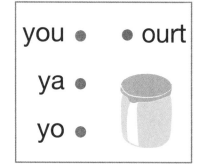

ya •	• ga
yo •	
yeu •	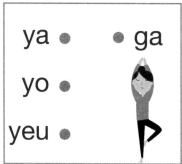

yi •	• pi
yeu •	
you •	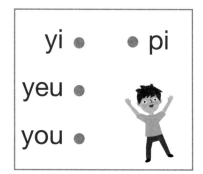

z / s = z

zig**z**ag

ro**s**e

1. Colorie les ronds où tu entends le son (Z).

2. Relie chaque mot au son que tu entends.

coussin   liste   ruse   poisson

 z   s

Russe   poison   cousin   oiseau

3. Écris les mots à l'aide de ces syllabes.

bre - bu - zé - sin - zè - rai - son - mai

....

J'apprends les mots
qui, que, quel, quelle, quoi

1. Relie les mots identiques.

QUEL	qui	QUOI	quelle	que
qui	quel	quelle	quoi	QUE
QUI	quoi	quel	que	QUELLE

2. Colorie la case qui convient.

quel
quelle

_ beau château !

quel
quelle

_ beau vélo !

quel
quelle

_ belle tomate !

quel
quelle

_ belle moto !

3. Relie chaque question à sa réponse.

Qui est Mila ? •

Que fait Mila ? •

Quel jour Mila ne va-t-elle
pas à l'école ? •

Quelle fleur a choisi Mila ? •

• Elle lit.

• C'est une petite fille.

• Le dimanche.

• Celle qui est bleue.

Je comprends un texte

1. **Lis cette histoire.**

Mila et Noé entrent dans la forêt sombre.
Dans la forêt, ils découvrent une cabane.
Dans la cabane, ils trouvent une petite chambre.
Dans la chambre, ils voient une grande armoire.
Dans l'armoire, ils trouvent une jolie boite.

Mila prend la boite. Noé ouvre la boite.
Et dans la boite, ils découvrent une poupée de bois.
Noé prend la poupée. Mila dévisse la poupée.
Dans la poupée, il y a une petite poupée de bois.
Mila et Noé ouvrent la petite poupée.
Dans la petite poupée, il y a une
minuscule poupée.

Et dans la poupée minuscule ?
Il y a une petite fourmi !

La fourmi s'enfuie dans la forêt.
Elle court, elle court, elle court.
Et tout à coup, elle trouve une cabane.
Elle entre. Et là, elle trouve…

2. **Imagine ce que la fourmi va trouver. Dessine-le.**

es et er el ec ef en...

escargot

lunette**s**

1. Relie les mots au son qu'on y trouve.

un caramel	•		•	el
une raquette	•		•	er
une pelle	•		•	ette
une ferme	•		•	elle

2. Colorie le son qui convient.

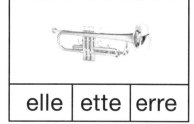

| elle | ette | erre |

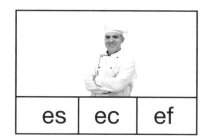

| es | ec | ef |

| enne | erre | elle |

3. Écris les mots à l'aide de ces syllabes.

ca - four - cre - resse - vette - hô
su - cette - chette - tel

un couteau et une ....

une .... rose ou grise

Nous dormons à l'..

une .... à la fraise

Le chat ronronne pour avoir une ....

ain ein

main
peinture

1. Colorie tous les sons (in) : *in, ain, ein*.

ai ein IN AIN ei ain an

2. Écris les mots dans la bonne colonne.

faim – peintre – demain – singe – frein – daim

in			
in	ain	aim	ein

3. Écris les syllabes qui manquent à ces mots.

cain - main - lain - cein

lende............   afri............   pou............   ....ture

4. Complète les phrases avec les mots.

train - copain - terrain - demain

Le match se jouera .... .Nos adversaires sont arrivés par le .... Pendant le match, je serai sur le .... à côté de mon ....

fill**e**

1. Entoure l'image quand tu entends le son (ill).

2. Entoure ill, *ill*, Ill.

ANGUILLE   camomille   *gentille*   frétiller

gravillon   BILLES   tourbillon   *Bastille*

3. Relie pour faire des phrases, puis lis-les.

Cet habit me permet d'être ●   ● est très croustillante.

Cette croute ●   ● donc c'est un portillon.

Cette porte est petite, ●   ● joliment habillé.

4. Relie les phrases à leur dessin. Barre les dessins inutiles.

     Le papillon est sur la grille.

     Une glace à la vanille avec sa chantilly.

     Il y a trois carrés noirs sur le quadrillage.

ail eil ouil euil

paille

1. Colorie les sons avec la bonne couleur.

ail   eil   euil   ouil

ouil   euil   eil   ail   euil   eil

ail   ouil   euil   eil   ail   ouil

2. Lis les phrases et écris le son qui manque.

Noé est assis sur son faut___ préféré.

Le rêv___ de Maila fait tic-tac, tic-tac.

Ce trav___ n'est pas trop difficile.

Le fen___ est un légume au gout d'anis.

3. Réponds aux devinettes en t'aidant des mots.

brouillard - bouteille - chevreuil

On en trouve surtout le matin ou le soir. C'est sombre :

le ....

Il vit en forêt. Il a des bois. c'est un animal :

le ....

Elle est fragile. Elle contient un liquide. C'est en verre :

la ....

ion ier ieu ian ien

lion

1. Relie chaque image au son qui convient.

(ier) (ieu) (ion) (ian) (ien)

2. Écris les mots dans leur colonne.

Adrien – viande – camion – métier – comédien
envieux – escalier – télévision – dépliant – adieu

ion	ien	ian

ier	ieu

3. Réécris la phrase dans l'ordre.

musicien. - bien - aimerait - Damien - devenir

....

60

t(i) = s(i)

 **addition**

1. Écris chaque mot dans sa colonne.

minutieux – nation – acrobatie – initiale – martien –
dalmatien – idiotie – punition

tion	tie	tien	tieu

2. Relie pour faire des phrases, puis lis-les.

Les soustractions, c'est le contraire	Chloé révise	Dans l'avenir, il va falloir faire très attention

sa récitation.	des additions.	à la pollution.

3. Écris les syllabes qui manquent : PÉ, CO, TA.

UNE INVI _ _ TION   UNE _ _ LLECTION

UNE O _ _ RATION

um
et autres sons rares

aquarium

1. Complète cette grille de mots croisés.

1. PINGPONG
2. FOOTBALL
3. PARKING
4. AQUARIUM
5. FEMME

2. Relie les mots qui contiennent les mêmes sons : um, ame, ing, oo.

camping •   • album

chewing-gum •   • jogging

look •   • récemment

patiemment •   • bazooka

Je repère
les lettres finales

1. Colorie la bulle correspondant à la liaison.

un ananas   des ananas   un gros ananas   un petit ananas

z   t   n   z   t   n   z   t   n   z   t   n

2. Entoure en vert les lettres finales qui se prononcent et en rouge celles qui ne se prononcent pas.

un éléphant   du miel   un ours   un loup

un fruit   un tapis   une dent   un mouchoir

une souris   l'idéal   une vis   un cactus   un géant

3. Ajoute la lettre muette finale. Aide-toi d'un mot de la phrase.

le cha_ et son chaton

La chaudière permet d'avoir bien chau_ .

J'ai fabriqué un drapeau avec un vieux dra_ .

J'ai collectionné cen_ pièces de un centime d'euro.

Je mets mon do_ sur le dossier du fauteuil.

Le ri_ pousse dans une rizière.

Crédits photographiques :

Les photos suivantes sont issues de la base Shutterstock.

p. 4 : caméra : © Kitch Bain ; lavabo : © Volodymyr Krasyuk ; cheval : © Eric Isselee – p. 5 : livre : © bergamont ; souris : © Szasz-Fabian Jozsef ; kiwi : © Roman Samokhin – p. 6 : domino : © Nanisimova ; soleil : © rangizzz ; pomme : © Alex Staroseltsev – p. 8 : renard : © Eric Isselee ; melon : © Viktar Malyshchyts ; biberon : © jiangdi ; cheminée : © Pressmaster ; table : © ruzpage ; tigre : © ehtesham ; bulles : © India Picture – p. 9 : bébé : © irin-k ; trèfle : © jaroslava V ; cuillère : © Nixx Photography – p. 10 : pomme : © Alex Staroseltsev ; raisin : © Ninell ; banane : © Ian 2010 ; kiwi : © Roman Samokhin ; noisettes : © Valentina Razumova – p. 12 : sapin : © Smileus ; sifflet : © Pjorg ; soleil : © rangizzz ; sucette : © Cloud7Days ; sablier : © koosen ; séchoir : © Iasha – p. 13 : livre : © bergamont ; pomme : © Alex Staroseltsev ; allumette : © Igor Kovalchuk ; montre : © Chakkrit Wiangkham ; salade : © Deyan Georgiev ; lapin : © JIANG HONGYAN ; lutin : © haeton – p. 14 : râteau : © vichie81 ; avion : © Andrii Gorulko ; ballon : © Stepan Bormotov ; drapeau : © Mr Doomits ; tour Eiffel : © Denis Rozhnovsky ; tasse : © Andrey_Kuzmin ; tortue : © cynoclub ; mur : © somsak nitimongkolchai ; rat : © De Jongh Photography ; riz : © theerapol sri-in ; rue : © Maxal Tamor ; or : © teena137 – p. 15 : fourmi : © Andrey Pavlov ; moulin : © SAYAM TRIRATTANAPAIBOON ; maman : © Kulniz ; domino : © Nanisimova – p. 16 : valise : © WM_idea ; fantôme : © rangizzz ; cerf-volant : © Photo Melon ; orange : © EM Arts ; violon : © Florin Burlan ; vase : © Lazy Fox ; village : © Simon Dannhauer – p. 17 : jongler : © dgmata ; donjon : © marako85 ; judo : © Paulo Vilela – p. 18 : flamme : © Potapov Alexander ; marteau : © Iushakovsky ; fée : © Tatyana Vyc ; fromage : © Volodymyr Krasyuk ; chaton : © GrigoryL ; lavabo : © Volodymyr Krasyuk ; confiture : © www.BillionPhotos.com ; frites : © M. Unal Ozmen ; fleur : © Vilor ; feuille : © violetkaipa ; farine : © M. Unal Ozmen ; fumée : © Andriano ; forêt : © VIKTOR KHYMYCH – p. 20 : vélo : © hamurishi ; lèvres : © Valentina Razumova ; bébé : © irin-k ; élève : © Gladskikh Tatiana ; pâtes : © Timmary ; gâteau : © Sergio33 ; fenêtre : © YK ; maïs : © bergamont ; Noël : © Mega Pixel – p. 22 : banane : © Ian 2010 ; kiwi : © Roman Samokhin ; ananas : © Africa Studio ; noisettes : © Valentina Razumova ; pêches : © Kovaleva_Ka ; myrtilles : © Eivaisla ; renard : © Eric Isselee ; farine : © M. Unal Ozmen ; âne : © Rosa Jay – p. 23 : moto : © Adriano-Solo ; tarte : © Svetlana Foote ; tapis : © Martina_L ; télévision : © stockmania – p. 24 : tulipe : © PavelSm ; piano : © Boris Medvedev ; purée : © indigolotos – p. 25 : ballon : © Stepan Bormotov ; glace : © M. Unal Ozmen ; concombre : © Roman Samokhin ; poire : © Maks Narodenko ; bouée : © E. O. ; cubes : © Ewais ; bus : © stockphoto mania ; but : © Ljupco Smokovski ; bol : © Jiri Hera ; bébé : © irin-k – p. 26 : dinde : © Eric Isselee ; radis : © jiangdi ; ordinateur : © PhotoBalance ; dinosaure : © Tischenko Irina ; judo : © Paulo Vilela – p. 27 : couteau : © Produktownia ; canard : © ajt ; caramel : © MaraZe ; chocolat : © Picsfive ; cochon : © yevgeniy11 ; col : © Cloud7Days ; sac : © Tatiana Popova ; clé : © TomVolkov – p. 28 : vache : © Eric Isselee ; buche : © margouillat photo ; coccinelle : © irin-k ; tomate : © Bozena Fulawka ; chocolat : © Picsfive ; cochon : © yevgeniy11 ; cheval : © Eric Isselee ; cloche : © Oleksandr Kostiuchenko – p. 29 : coq : © panda3800 ; gong : © fotorawin ; gourde : © Abel Tumik ; cage : © James Steidl ; gâteau : © Sergio33 ; gorille : © Smileus ; guitare : © AlexMaster ; guêpe : © irin-k – p. 32 : mouton : © Eric Isselee ; bijou : © Pakhnyushchy ; souris : © Szasz-Fabian Jozsef ; kangourou : © LifetimeStock ; tambour : © Boris Medvedev ; poule : © Valentina_S ; toupie : © picturepartners ; bouche : © Valentina Razumova ; coude : © ginger.ua ; foulard : © Gubin Yury – p. 33 : voiture : © cherezoff ; étoile : © sirastock ; pneu : © melnikof ; balançoire : © kangshutters ; croissant : © Mindscape studio ; tomate : © Bozena Fulawka – p. 35 : pommes de pin : © Julia Sudnitskaya ; maison : © Perry Correll ; requin : © cbpix ; singe : © mariait ; mouton : © Eric Isselee ; lutin : © haeton ; sapin : © Smileus ; marin : © Elnur ; moulin : © SAYAM TRIRATTANAPAIBOON ; dindon : © Eric Isselee ; lapin : © JIANG HONGYAN – p. 36 : pansement : © Ljupco Smokovski ; papillon : © suns07butterfly ; imprimante : © gilotyna4 ; manteau : © Zurbagan ; pigeon : © drpnncpptak ; ventre : © Happy Together – p. 39 : carnet : © Nataliia K ; filet : © Kletr ; duvet : © nikitabuida ; volet : © YK ; tabouret : © BEPictured ; gobelet : © YamabikaY ; ricochet : © njaj ; robinet : © ifong – p. 41 : biscuit : © Theerapol Pongkangsananan ; parapluie : © ajt ; étui : © Roman Zhuravlev ; produit : © inthevisual – p. 44 : bouton : © Marques ; poussin : © S-F ; douche : © Nail Bikbaev ; piles : © f-f-f ; bijou : © Pakhnyushchy ; bonbon : © Candus Camera ; poule : © Valentina_S ; danse : © tataev_foto – p. 46 : glace : © M. Unal Ozmen ; cible : © Potapov Alexander ; dentifrice : © wiedzma – p. 49 : phare : © Irina Fischer ; hache : © koya979 ; hamac : © Aksana Tsishyna – p. 53 : lézard : © JDCarballo ; gazelle : © Iakov Filimonov ; mimosa : © Vitalina Rybakova ; fusée : © Haver ; maison : © Perry Correll ; zébu : © Taiftin ; raisin : © Ninell ; zèbre : © Anan Kaewkhammul – p. 54 : château : © Konstantin Yolshin ; vélo : © hamurishi ; tomate : © Bozena Fulawka ; moto : © AdrianoSolo – p. 56 : trompette : © Blinka ; chef : © TL_Studio ; poubelle : © Byjeng – p. 58 : feuille : © violetkaipa ; citrouille : © Bozena Fulawka ; médaille : © STILLFX ; écureuil : © nelik ; oreiller : © Natan86 ; abeille : © irin-k – p. 60 : avion : © Andrii Gorulko ; chien : © WilleeCole Photography ; photocopieuse : © Nerthuz ; triangle : © Berents ; panier : © NATALIA61 – p. 62 : pingpong : © Jakrin Chaisuriyawat ; football : © Smileus ; parking : © Kaspri ; femme : © Ariwasabi – p. 63 : un ananas : © Africa Studio ; gros ananas : © StudioSmile ; petit ananas : © Art Konovalov.

Les photos suivantes sont issues de la base Fotolia.

p. 14 : ré : © vvictory – p. 17 : joker : Karola Warsinsky – p. 20 : rôti : M.studio – p. 22 : menu : © Syda Productions – p. 23 : rôti : M.studio – p. 26 : dame : © Mannaggia – p. 27 : car : © Alexander Zamaraev – p. 28 : parachute : © Olexandr – p. 44 : divan : © terex – p. 46 : policier : © konstantant ; cirque : © Pixavril – p. 62 : aquarium : ET1972 – p. 63 : des ananas : © Shawn Hempel.

Création maquette et mise en pages : Céline Julien

N° d'éditeur 10255020 – Juillet 2019 – Imprimé en France par Imprimerie de Champagne